50 formas de hacer pan para principiantes

Una guía sencilla con más de 50 recetas de pan para hacer en casa

Andrea Flores

Reservados todos los derechos.

Descargo de responsabilidad

RESUMEN

4

INTRODUCCIÓN

El pan es un alimento tradicional y conocido que existió en nuestras latitudes mucho antes que la papa, el arroz o la pasta. Dado que el pan proporciona no solo energía, sino también vitaminas, minerales y oligoelementos, el producto está predestinado como base de una dieta.

Pan como base dietética Pan como base dietética

La dieta del pan se desarrolló en 1976 en la Universidad de Giessen. Desde entonces, se han realizado numerosos cambios, pero se diferencian entre sí solo en los tonos. La base de la dieta del pan es el pan alimenticio con alto contenido de carbohidratos.

El pan está hecho de trigo, por lo que el pan puede diferir según el tipo y procesamiento del grano. Los productos con un alto contenido de cereales integrales se prefieren en la dieta del pan. Dichos panes se caracterizan por un alto contenido de oligoelementos y minerales, también contienen fibra. El pan blanco muy procesado no está prohibido en la dieta del pan, pero solo debe consumirse en pequeñas cantidades.

CÓMO FUNCIONA LA DIETA DEL PAN

La dieta del pan es básicamente una dieta que funciona reduciendo la ingesta de calorías. La cantidad total de energía para el día se reduce a 1200-1400 calorías en la dieta del pan. Con la excepción de una pequeña comida caliente hecha con productos de cereales, estas calorías solo se proporcionan en forma de pan.

No es necesario que sea carne seca, quark magro con hierbas o tiras de verduras. Casi no hay límites para la imaginación, lo que explica la gran cantidad de recetas para la dieta del pan. Las bebidas incluidas en la dieta del pan incluyen agua y té sin azúcar. Además, se toma una bebida a base de pan antes de cada comida para ayudar a la digestión y estimular el sistema inmunológico.

BENEFICIOS DE LA DIETA DEL PAN

A menos que se engañe a sí mismo al colocar los sándwiches, una ventaja de la dieta del pan, como ocurre con la mayoría de las dietas bajas en calorías, es el éxito rápido. Pero la dieta del pan tiene otros beneficios reales sobre otras dietas. La dieta se puede diseñar para que sea muy equilibrada, de modo que no espere síntomas de deficiencia.

Por lo tanto, en principio, una dieta a base de pan también se puede llevar a cabo durante un largo período de tiempo sin que se esperen efectos adversos para la salud. Otra ventaja es la facilidad con la que se puede realizar la dieta. La mayor parte de la comida está fría y se puede preparar. Como resultado, incluso una persona que trabaja puede completar fácilmente la dieta comiendo el pan que trajo consigo en lugar de comer en la cantina.

DESVENTAJAS DE LA DIETA DEL PAN

La dieta del pan no presenta desventajas particulares derivadas de su composición. Sin embargo, si la dieta del pan solo se hace temporalmente y luego se restablece al estilo de vida anterior, el temido efecto yo-yo también ocurre con la dieta del pan. Durante la fase de inanición de la dieta, la tasa metabólica basal del cuerpo disminuye.

Una vez finalizada la dieta, el aumento de peso se produce

rápidamente y, por lo general, a un nivel más alto que antes del

inicio de la dieta.

PAN SIN GLUTEN

Porciones: 1

INGREDIENTES

- 250 gr Harina, oscuro, sin gluten
- 150 gr Harina, ligero, sin gluten
- 100 gramos   Harina de alforfón
- 1 cubo Levadura fresca
- 1 ½ cucharadita sal
- 430 ml Agua tibia
- 1 ½ cucharada de semillas de chía
- 2 cucharaditas \ vinagre de sidra de manzana

PREPARACIÓN

Disuelva la levadura fresca en agua tibia.

Mezcle 500 g de harina sin gluten - yo suelo usar la mezcla como se mencionó anteriormente - con la sal, el vinagre, las semillas de chía y la mezcla de agua y levadura con una cuchara de madera, para que la harina.

Cubra bien el recipiente y déjelo reposar en el refrigerador durante al menos 12 horas hasta 5 días, posiblemente más.

Puedes cocinar cuando te apetezca y tengas tiempo. Saque la masa del frigorífico al menos 2-3 horas antes de cocinar, no vuelva a mezclar para no destruir la estructura. Verter en una sartén rectangular untada con aceite y tapar y dejar en un lugar templado.

No precaliente el horno. Hornee a 200 ° C por encima y por debajo durante unos 60 minutos. Retirar del molde y hornear por otros 10-15 minutos. Haz una prueba de detonación

Consejo: esta es una receta flexible, posibles variaciones con especias para pan, cereales, semillas, zanahorias y hierbas.

PAN DE BERLÍN - RECETA DE LA ABUELA

Porciones: 10

INGREDIENTES

- 500 g de harina
- 5 cucharadas   petróleo
- 3 cucharadas   Polvo de cacao
- ¼ de litro   Leche
- 350 g de azúcar
- 1 cucharadita de canela
- 2 cucharaditas   Levadura en polvo
- 400 gr Avellanas enteras

PREPARACIÓN

Mezclar los ingredientes secos, agregar el aceite a la leche y mezclar con los ingredientes secos para formar una masa suave (que puede ser un poco dura). Extienda sobre una bandeja para hornear engrasada y extienda sobre las avellanas y presiónelas en la masa. Hornee durante unos 40 minutos a 160-170 grados, ¡puede volverse ligeramente marrón!

Retirar de la sartén y cortar inmediatamente en el tamaño deseado, por ejemplo, el tamaño de la galleta.

Consejo: si le gusta, simplemente extienda aproximadamente 2/3 de una bandeja para hornear, para que todo sea un poco más grueso.

MARES TRAS 3 MINUTOS - RECETA DE PAN

Porciones: 1

INGREDIENTES

- 450 ml Leche
- 500 g Harina (harina de trigo)
- 1 cubo levadura
- 2 cucharadas azúcar
- 2 premios sal
- 2 cucharadas vinagre
- 100 gramos Pasas
- 100 gramos Chocolate, en trozos

PREPARACIÓN

Mezclar la levadura con la leche tibia. Agregue todos los demás ingredientes y trabaje bien. Poner en una fuente de horno engrasada y hornear en horno frío. Cortar a lo largo después de 10 minutos. Pasados los 40 minutos, unta con leche o yema de huevo batida.

PAN AL HORNO - LA OBRA MAESTRA

Porciones: 4

INGREDIENTES

- 90 g de harina integral
- 60 g de harina de trigo blando tipo 550
- 150 g de agua
- 1 ½ g de levadura fresca
- 60 g de harina de centeno tipo 997
- 60 g de agua
- 1 g de sal
- 12 g de levadura

- 60 g de harina de trigo blando tipo 550
- 50 g de agua
- 6 g de levadura
- 240 g de harina de trigo blando tipo 550
- 150 g de agua
- 90 g de harina de espelta tipo 630
- 12 g de sal
- 12 g de aceite de oliva
- 50 g de agua

PREPARACIÓN

Pre-masa

Para la masa previa mezclar todos los ingredientes (90 g de harina integral, 60 g de harina de trigo blando (tipo 550), 150 g de agua (20 grados Celsius) y 1,5 g de levadura fresca). Luego déjelo madurar durante dos horas a temperatura ambiente y otras 22-24 horas a 5 grados centígrados. Centeno

Levadura natural

Para la masa madre de centeno, mezclar todos los ingredientes (60 g de harina de centeno (tipo 997), 60 g de agua (45 grados Celsius), 1 g de sal y 12 g de iniciador) y dejar madurar durante 12-16 horas a temperatura ambiente.

Masa madre de trigo

Para la masa madre de trigo, mezclar todos los ingredientes (60 g de harina de trigo (tipo 550), 50 g de agua (45 grados Celsius) y 6 g de jarras) y dejar madurar durante 6-8 horas a 26-28 grados Celsius. . Luego, guárdelo durante 6-12 horas a 5 grados centígrados.

Pasta para autólisis

Para la masa de autolisis, mezclar 240 g de harina de trigo blando (tipo 550) y 150 g de agua (65 grados centígrados) y dejar reposar durante 60 minutos (temperatura de la masa unos 35 grados centígrados).

Principal

masa Para la masa principal, la masa previa, la masa madre de centeno, la masa madre de trigo, la masa de autólisis junto con 90 g de harina de espelta (tipo 630), 12 g de sal, 12 g de aceite de oliva y 50 g de agua (100 grados Celsius) durante 5 minutos en el nivel más bajo y durante otros 5 minutos de la segunda fase amase hasta que la temperatura de la masa sea de unos 26 grados centígrados. No vierta el agua caliente lentamente hasta que haya mezclado un poco los otros ingredientes.

Deje madurar la masa durante 60 minutos a temperatura ambiente. Después de 30 minutos, estirar y doblar.

Suavemente redondee la masa y colóquela en un cesto de levadura enharinado con harina de arroz o patatas con el extremo hacia abajo. Cubrir con papel de aluminio y dejar madurar de 8 a 10 horas a 5 grados centígrados.

Hornea el pan

Con solo un poco de cocción y finalmente a 250 grados Celsius, bajando a 230 grados Celsius (después de 10 minutos se apaga), hornee en una sartén durante 50 minutos.

ROLLOS DE PAN A PARTIR DE SUMINISTRO

Porciones: 1

INGREDIENTES

- 500 g de harina
- 350 ml agua
- 1 cubo levadura
- 1 ½ cucharadita sal

PREPARACIÓN

Ponga todo en la máquina para hacer pan o haga una masa de levadura como de costumbre - déjela reposar aprox. 90 minutos.

Luego forme algunos rollos y luego simplemente hornee en un horno precalentado a 220 grados durante unos 20-25 minutos.

Espolvorea con semillas de sésamo o amapola al gusto antes de hornear.

Por aprox. 9-12 rollos, dependiendo del tamaño deseado.

PASTEL DE PATATA - TAMBIÉN SE PUEDE HORNEAR SIN GLUTEN

Porciones: 1

INGREDIENTES

- 300g   Patatas, cocidas, prensadas en la prensa.
- 1 cubo levadura
- 1 cucharadita de sal
- 300 ml Agua tibia
- 1 pizca (s) de azúcar
- 500 g   Harina de trigo blando, integral o
- Harina sin gluten

- 1 cucharadita de mejorana
- 150 gr jamón cocido en cubos
- 6 cucharadas   Semillas de calabaza, tal vez más
- norte. B. Mezcla de especias para pan
- Agua para cepillar
- Posiblemente. Yemas de huevo para cepillar

PREPARACIÓN

Disolver la levadura y el azúcar en el agua, dejar reposar durante 10 minutos. Mezclar la harina con la sal y la mejorana. Agregue el puré de papas y el polvo de hornear, mezcle bien y deje que suba bien (el volumen debe duplicarse aproximadamente).

Pica en trozos grandes 4 cucharadas de pepitas de calabaza y amásalas junto con los cubos de jamón. Forma una bola de masa y colócala en un molde (me gusta usar Tupper's Ultra). Cepille la superficie con agua o una mezcla de agua y yema de huevo, espolvoree con las semillas restantes (presione ligeramente). También me gusta usar algunas semillas más para la masa.

Dejar reposar otros 15 minutos. Hornee a 200 ° C (horno de convección 180 ° C) durante unos 60 minutos.

Si desea hornear pan sin gluten: no necesita más líquido del especificado, de lo contrario la masa será demasiado pesada y el pan quedará pegajoso.

ROLLOS DE PAN A PARTIR DE SUMINISTRO

Porciones: 4

INGREDIENTES

- 333 gramos   Harina tipo 405
- 125 ml agua
- 100 ml Leche
- 7 g de levadura seca
- 1 cucharada   azúcar
- 1 cucharadita de sal colmada

PREPARACIÓN

Mezcle bien todos los ingredientes y deje que la masa suba a temperatura ambiente durante aproximadamente 1 hora. Forme la masa en rollos y colóquelos en una bandeja para hornear preparada.

Deje que los bocadillos tomen un ligero bronceado en un horno precalentado a 190 ° C durante unos 15 minutos, agregue una llave de agua si es necesario. Luego, configure brevemente el horno a unos 200 ° C y hornee los panecillos durante unos 5 minutos hasta que hayan alcanzado el color marrón deseado.

MANNIS DE PAN DE TRIGO MIXTO

Porciones: 6

INGREDIENTES

- 400 gr   Harina de centeno, tipo 1150, alternativamente 997
- 600 gr   Harina de trigo blando tipo 550
- 680 ml   Agua, unos 38 grados caliente
- 42 g de levadura fresca
- 75 g de levadura natural
- 17 g de sal yodada
- 15 g de azúcar

- 50 g de margarina

PREPARACIÓN

Mezclar todos los ingredientes en una masa con la amasadora.

El tiempo de amasado debe ser de al menos 4-6 minutos para que la masa sea agradable y suave y desarrolle buenas propiedades adhesivas.

Asegúrate de que la masa no se ablande demasiado si no quieres hornear la masa en un molde. Deje que la masa suba durante unos 15 minutos y luego forme un rollo.

Coloque el rodillo en una bandeja para hornear con papel pergamino y humedezca con agua. Primero, calienta el horno a 50 grados y deja que la masa fermente en el horno durante unos 20-30 minutos.

Rocíe con agua de vez en cuando.

Cuando el rodillo haya alcanzado el volumen deseado, sáquelo del horno. Calentar el horno a 250 grados y bajar la temperatura a 210 grados y hornear la sartén con el pan. Ahora vierta 1/4 taza de agua fría en el fondo del horno y cierre la puerta del horno. Abra la puerta brevemente después de aprox. 3 minutos para que se aspire el vapor.

Personalmente, trabajo la masa en una bola y la coloco en una canasta de levadura enharinada. Cuando el volumen de la masa ha alcanzado el nivel superior, coloco una sartén en la canasta de fermentación y le doy la vuelta a todo para que la masa esté ahora en la sartén. Deja la canasta un poco más para que la masa se afloje y la canasta se pueda sacar sin que se pegue.

Tiempo total de cocción aprox. 50 minutos con convección. Varía según el tipo de horno.

Si es necesario, baje la temperatura a 200 grados.

PAN DE SEMILLAS MULTIGRANO

Porciones: 1

INGREDIENTES

- 400 g de levadura natural, centeno integral
- 200 g de harina de espelta (integral)
- 90 g de harina de trigo sarraceno (integral)
- 30 g de mijo, entero
- 30 g de quinua entera
- 30 g de copos, (5 copos de cereales)
- 30 g de semillas de calabaza
- 30 g de pipas de girasol

- 30 g de semillas de lino
- 30 g de sésamo
- 12 g de sal marina
- 10 g de hojas de nabo
- 200 g de agua tibia (aprox.)
- 10 g de levadura fresca, opcional (*)
- 3 cucharadas de semillas - mezcla de sésamo, semillas de girasol, semillas de lino, semillas de calabaza y copos de 5 granos)

PREPARACIÓN

Mezclar todos los ingredientes excepto las semillas a espolvorear hasta obtener una mezcla homogénea (robot de cocina, unos 7-10 min).

Tape y deje reposar la masa en un lugar cálido durante 30 minutos, luego amase de nuevo brevemente (2-3 minutos).

Espolvorea la forma de la BBA o la forma de una caja con la mitad de las semillas para espolvorear. Vierta la masa y alísela. Luego espolvorea con las semillas restantes. Deje que el pan suba de nuevo en un lugar cálido (1-3 horas, dependiendo del poder leudante de la masa madre y la adición de levadura).

Cocinando:

BBA: Hornee pan con el programa "Solo hornear" durante 1 hora.

Horno: hornee el pan a unos 200 ° C durante unos 50-60 minutos. (Como siempre horneo pan en el BBA, la información de horneado es solo una guía).

Luego deja enfriar el pan sobre una rejilla y déjalo reposar en la caja de pan durante un día antes de cortarlo.

Las cantidades indicadas son suficientes para un pan que pesa aproximadamente 1000 g.

TRES TIPOS DE PAN POR PARTE

Porciones: 10

INGREDIENTES

- 1 paquete Preparación para postres, para pan campesino
- Algo de sal
- 650 ml Agua tibia)
- Para el relleno:
- 75 g   jamón crudo, cortado en cubitos
- 3 cucharadas   Queso, colmado, Grana Padano (Padano muy joven y finamente rallado)
- 1 cucharada.   Orégano seco
- 4 tomates secos, en aceite

- 1 cucharada. Aceite (de tomates secos y en escabeche)
- 3 cucharadas Semillas de girasol
- 3 cucharadas Amapola
- 3 cucharadas Sésamo (sin pelar)
- 75 g Salami secado al aire (cortado en cubitos)
- 6 aceitunas, negras (descorazona y luego corta en trozos)

PREPARACIÓN

Amasar la masa de acuerdo con las instrucciones del paquete, pero dejar reposar durante al menos 2 horas.

Mientras tanto, rallar el queso, picar el salami, el jamón y el tomate.

Divide la masa en 3 partes iguales. Amasar un trozo de masa con queso, tomate picado y orégano y formar una hogaza alargada.

Mezclar una parte con los dados de jamón y formar una barra alargada y amasar la tercera parte con los trozos de salami y aceitunas, formando también una barra alargada.

Convierta el pan de jamón y salami en los granos y déjelo reposar durante otros 30 minutos.

Precaliente el horno a 250 grados (calor superior e inferior), coloque el pan en una rejilla (forrada con papel pergamino) y hornee caliente.

Ponga una cacerola con agua en el horno y vierta media taza de agua directamente en el fondo del horno caliente, cierre la puerta inmediatamente. Hornee el pan durante 10 minutos a 250 grados, baje el fuego a 180 grados y hornee por otros 25-30 minutos.

Glasear el pan caliente con un poco de agua caliente, glasear el pan de queso y tomate con aceite.

Alternativamente, puede hacer 12-15 mini rollos de fiesta con cada pieza de masa. Luego reduzca el tiempo de cocción a 5 minutos a 250 grados y de 8 a 10 minutos a fuego lento.

Por supuesto, puedes reproducir bises como quieras. Así es como el "pan fuerte del ron" se convierte en

Por supuesto, esto es incluso más barato y mejor con las harinas automezcladas, pero especialmente para los principiantes en pan o rara vez panaderos, mezclar es simplemente la mejor manera de no perder el interés y la mayoría de las llamadas panaderías solo usan mezclas (una pena). No puedo recomendar máquinas de pan. Los panes están lejos de ser hermosos ya que están en el horno, tienen agujeros y no tienen una forma atractiva.

1 HORA DE PAN

Porciones: 2

INGREDIENTES

- ½ litro Agua tibia
- 1 cubo levadura
- 400 gr Harina de espelta
- 100 gramos   Harina de alforfón
- 1 cucharadita   sal
- 2 cucharadas   Vinagre de frutas
- ¾ taza Semillas de girasol
- ¾ taza sésamo
- ¾ taza semillas de lino

PREPARACIÓN

Amasar todos los ingredientes. Hornee por 1 hora a 220 grados. Mientras cocina, ponga un recipiente con agua refractaria en el horno.

La masa no debe subir. Si es necesario, deje enfriar el pan durante la noche.

PAN

Porciones: 1

INGREDIENTES

- 500 g de harina, (harina de pan)
- 300 g de agua
- 10 g de sal
- 1 bolsa de levadura seca o 20 g de levadura fresca
- 1 pizca (s) de mezcla de especias para pan, opcional

PREPARACIÓN

Precaliente las piedras más delgadas en el horno durante 1/2 hora a 190 ° C de calor superior e inferior, las piedras gruesas durante 1 hora para que la piedra esté lo suficientemente caliente y la masa no se pegue. Si no está del todo seguro, lo mejor es precalentar la piedra un poco más.

Amasar todos los ingredientes a mano o en un procesador de alimentos para formar una masa suave y relativamente firme. Cubra y deje que la masa se eleve en un lugar cálido durante aproximadamente 1 hora. Justo antes de que el pan entre en el horno, ponga un recipiente con agua en el horno o llene la bandeja de goteo con agua y deslícela debajo de la piedra. Esto crea el llamado vapor que hace que el pan esté crujiente. Forme la masa en una hogaza alargada. Cepille la parte superior del pan con agua con un cepillo o con la mano. Esto crea una corteza agradable. Luego mete el pan al horno o ponlo sobre la piedra.

En la primera media hora, el pan debe hornearse solo a fuego lento, en la segunda media hora solo a fuego alto. En muchos libros de recetas se indican temperaturas mucho más altas. Hemos tenido buenas experiencias con 190 ° C.

Consejos:

Con harina blanca (harina de repostería) también se pueden utilizar 2 cucharadas de aceite de oliva (con hierbas) y solo aprox. 250 ml de agua.

También puedes hacer la masa la noche anterior. Luego, la masa se coloca en un lugar fresco, por ejemplo. B. en el refrigerador, almacenado durante aproximadamente 12 horas. Al día siguiente hay que precalentar el horno y la masa llega directamente al horno precalentado. NO debe volver a ir a un lugar caliente. Este método hace que la masa tenga poros particularmente finos.

La harina de pan ahora se puede comprar con este nombre en muchas tiendas (orgánicas). Contiene solo harina de trigo y centeno, sin levadura seca ni sal (¡preste atención a la lista de ingredientes!).

PAN BAJO EN COMBUSTIBLE

Porciones: 1

INGREDIENTES

- 300 g de quark magro
- Huevos 8 m. Estupendo
- 100 g de almendras o avellanas molidas
- 100 g de semillas de lino, trituradas
- 5 cucharadas de salvado de trigo
- 2 cucharadas de harina o harina de soja
- 1 paquete de levadura en polvo
- 1 cucharadita de sal
- 2 cucharadas de pipas de girasol
- Mantequilla, para el molde

PREPARACIÓN

Precalienta el horno de convección a 150 ° C y mantén el fuego durante 15 minutos antes de que la masa entre al horno.

Mezcle el quark, los huevos y la levadura en un bol con una batidora de mano (batidor), luego agregue los otros ingredientes y mezcle bien nuevamente. Verter en la fuente de horno engrasada (25-30 cm) y espolvorear con semillas de girasol. Hornee a 150 ° C durante al menos 90 minutos.

La masa es bastante líquida y el pan terminado está muy húmedo / húmedo. Se puede cambiar con más salvado.

El pan terminado debe almacenarse en el refrigerador en una bolsa sin cerrar herméticamente. También se congela bien.

Consejo de Chefkoch.de: Dado que el contenido de cadmio en las semillas de lino es relativamente alto, el Centro Federal de Nutrición recomienda no consumir más de 20 g de semillas de lino al día. El consumo diario de pan debe dividirse en consecuencia.

ROLLOS DE MUESLI O PAN DE MUESLI HORNEADO

INGREDIENTES

- 300g   Harina de trigo blando (integral)
- 200 g de harina de trigo (tipo 550)
- 10 g de sal
- 10 g de levadura fresca
- 20 g de miel
- 350 g de agua
- 200 gr   Fruta seca
- 80 g de avena
- 50 gramos   miseria
- Harina para encimera

- Algo de agua para cepillar

PREPARACIÓN

Picar los frutos secos en trozos pequeños. Todas las frutas son adecuadas, especialmente a mí me gustan los albaricoques, las ciruelas, las pasas y las manzanas. Picar nueces, avellanas, anacardos, almendras, nueces, nueces son mis favoritos.

Haz una masa homogénea con los ingredientes restantes. Amasar durante al menos 5 minutos. Justo antes de que finalice el tiempo de mezcla, agregue la fruta y los frutos secos. La masa es bastante fina y pegajosa al principio, pero cuando se amasa lo suficiente se vuelve agradable y elástica. Cubra la masa y déjela reposar durante 1 hora o en el frigorífico durante 6 horas.

Coloque la masa en una superficie de trabajo ligeramente enharinada y divídala en 2 partes para panes grandes, 4 partes para panes pequeños, 12 partes para sándwiches y déjela reposar durante 5 minutos. Ahora forme panes o panecillos largos. Espolvorear con un poco de agua y enrollar los copos de avena. Deje reposar el pan durante 1 hora, los panecillos durante 3/4 horas.

Precalentar el horno a 250 ° C. Cortar el pan al gusto. Colocar en el horno, bajar la temperatura a 220 ° C y cocinar bien. Los panes grandes tardan 25 minutos, los panes pequeños 15 minutos y los panecillos de 10 a 12 minutos.

Realmente no necesitas untar para esto, son dulces y abundantes con un bocado. Por supuesto, la mermelada, la miel o la mantequilla todavía saben muy bien.

Variantes: obviamente se puede hacer un pan puro de pasas o albaricoque. Los tipos de harina también se pueden variar. Si no le gustan los cereales integrales, pruebe 1050 o solo 550. En lugar de avena, las semillas de amapola o girasol también saben bien.

Me encanta este pan porque es genial para empezar el día dulce pero sin azúcar y es increíblemente versátil.

RECETA MEJORADA DE PAN O BAGUETTE

Porciones: 1

INGREDIENTES

- 500 g de harina tipo 550
- 325 g de agua, 33 ° C tibia
- 21 g de levadura fresca
- 12 g de sal
- 15 g de malta de horno

PREPARACIÓN

la harina en un bol y hacer un agujero en el centro. Vierta la levadura, la sal y 5 cucharadas de agua tibia en la tina y mezcle bien con una cucharadita. Cubra el tazón para mezclar en el horno durante unos 20 minutos.

Ahora agrega el resto del agua y la malta de horno y amasa por al menos 5 minutos hasta que se forme una mezcla de consistencia media. La masa debe estar entre 26 y 27 ° C. Tapar nuevamente el bol en el horno y dejar reposar durante 30 minutos.

Pasado el tiempo de reposo, coloque la masa sobre una superficie de trabajo enharinada, amásela brevemente y dóblela para que escape el dióxido de carbono.

Precalentar el horno a 210 ° C y, si es posible, utilizar baño María, por ejemplo B. en la bandeja colectora.

Por qué extender o batir la masa sobre la superficie enharinada hasta un tamaño de aprox. 35 x 63 cm. Enharinar esta masa finamente y dividirla en grandes trozos de masa. (Ej. 7 x 7 cm. Luego hay 10-15 rollos). Lo mejor es cortarlo con un rodillo para pizza, una espátula o un cuchillo. Coloque los panecillos en una bandeja para hornear y cúbralos con un paño.

Cuando el horno se haya calentado, cortar los rollos 2-3 veces y rociarlos con agua. Coloca el bocadillo en el horno con el baño de vapor y vuelve a rociar con el spray.

Déjelo funcionar durante 2 minutos con calor superior / inferior, luego cambie a circulación de aire. Tiempo de cocción aprox. 20 minutos.

PAN DE CERVEZA DE TRIGO MIXTO NATURAL

Porciones: 1

INGREDIENTES

- 300 g de harina integral
- 200 g de harina de trigo blando tipo 1050
- 75 g de masa madre, casera, del horno o del paquete)
- 150 g de agua
- 150 g de cerveza de trigo
- 1 cucharada. sal
- 1 cucharada. azúcar
- 1 cucharada de mezcla de especias para pan
- 1 cucharada de malta de horno
- ½ cubo levadura

PREPARACIÓN

Hacer la primera masa previa el día anterior, mezclar 150 g de harina integral con 150 g de agua y la levadura madre, tapar y dejar reposar durante la noche (8 h). A la mañana siguiente, mezcle el resto de la harina integral.

Para la segunda masa previa, mezcle los ingredientes restantes hasta que no queden grumos.

Deje reposar las dos masas en un bol.

Después de unas 2-3 horas, amase ambas masas durante unos 10 minutos. Si la masa se puede separar en una fina membrana sin romperla, ya ha terminado de amasar.

Deja reposar la masa nuevamente hasta que alcance el doble de su volumen.

Luego coloque la masa en una superficie de trabajo sin enharinar o ligeramente enharinada, amase en el aire y forme una bola, luego colóquela en una canasta de levadura enharinada. Precalentar el

horno a 250 ° C calor superior / inferior, calentando 2 bandejas al mismo tiempo.

Cuando el pan haya subido aproximadamente una hora y haya crecido considerablemente, darle la vuelta en una de las bandejas calientes y cortarlo transversalmente por la parte superior.

Después de poner a cero en el horno, vierta agua caliente en la bandeja inferior y cierre el horno inmediatamente. Advertencia: ¡riesgo de quemaduras!

A intervalos de 10 minutos, reduzca la temperatura del horno de 20 ° a 190 ° C y hornee durante unos 50 minutos.

Por último, poner el pan en una rejilla durante dos horas para que se enfríe.

ROLLOS DE PAN, PERFECTOS COMO DE LA PANADERÍA

Porciones: 1

INGREDIENTES

- 500 g de harina
- 300 ml Agua tibia (alrededor de 45 °)
- 12 g de sal
- 42 g de levadura

PREPARACIÓN

Mezclar todos los ingredientes hasta obtener una masa homogénea, tapar y dejar reposar aprox. 60 minutos.

Amasar de nuevo a mano y formar 10 rollos de aprox. 80 g cada uno y triturar. Colócalos en una bandeja para hornear forrada con papel pergamino y cúbrelos con un paño húmedo. Dejar reposar unos 20 minutos y luego cortarlos.

Precalienta el horno a 230 ° C con ventilador. Dado que los sándwiches necesitan vapor para cocinarse, coloque una taza de agua en un recipiente apto para horno en la parte inferior del horno.

Hornee los panecillos durante unos 12-15 minutos. Vuelven a abrir y se vuelven lindos y regordetes. Cuando estén del color adecuado, retírelos y colóquelos en una rejilla cubierta con un paño para que se enfríen.

SIMIT

Porciones: 1

ingredientes

- 500 g   Harina de trigo blando tipo 405
- ½ cubo Levadura fresca
- 150 ml Agua tibia
- 100 ml Leche, cálido
- 100 ml Aceite de girasol
- 2 cucharadas   azúcar
- 1 cucharadita   sal
- 3 cucharadas   Sirope de uvapekmez), alternativamente
  jarabe de remolacha azucarera
- 100 ml agua

- 150 gr   sésamo

PREPARACIÓN

Primero, mezcle aceite, agua, leche, azúcar, sal y levadura hasta que la levadura, la sal y el azúcar se hayan disuelto. Luego agregue gradualmente la harina hasta que el día esté suave pero no pegajoso.

Luego calienta el horno a 50 ° C, luego vuelve a apagarlo, tapa la masa y deja que suba durante 30 minutos.

Forme una serpiente con la masa y divídala en 10 piezas de aprox. 90 g cada uno. Luego déjelo crecer nuevamente durante unos 15 minutos. No olvide cubrirse.

Mientras tanto, dore las semillas de sésamo en una sartén sin grasa y reserve. Cuidado, estalla como palomitas de maíz, pero está bien. Mezclar el almíbar con el agua en un plato hondo.

Precaliente el horno a 190 ° C de temperatura superior / inferior.

Forme las piezas de masa en serpientes muy finas y átelas. Unir los extremos del hilo y remojar el simit en el almíbar primero y luego enrollarlo en las semillas de sésamo. Hornee durante unos 20 minutos y luego envuelva en un paño de cocina para que se enfríe para que no se endurezcan.

Tienen buen sabor con ingredientes dulces y salados y también se pueden congelar bien.

PAN DE REMOLACHA DE MI COCINA DE PRUEBA

Porciones: 1

INGREDIENTES

- 350 g de remolacha
- 400 g de harina de espelta tipo 1050, posiblemente un poco más
- 250 g de harina de trigo, molida a partir de cereales integrales
- 1 bolsa / n Levadura seca ecológica, 9 g
- 1 cucharada de azúcar extra fina
- 1 cucharadita de sal

- 5 cucharadas   Semillas de girasol
- 150 ml Crema dulce

PREPARACIÓN

Pelar y lavar las remolachas, cortarlas en trozos pequeños y cocinar durante unos 15 minutos sin sal. Luego licuar sin el jugo y dejar enfriar un poco.

Mientras tanto, pesa la harina en un bol, muele el trigo y añádelo al bol y agrega la levadura seca, el azúcar, la sal y las semillas de girasol. Mezclar bien los ingredientes secos. Deje que la crema se entibie y agréguela a la mezcla de harina. Ahora mezcla el puré de remolacha con la masa o deja que se mezcle, yo lo hago con el robot de cocina. Si la masa no es lo suficientemente firme, simplemente agregue un poco de harina hasta que la masa se separe del tazón.

Cubra la masa y déjela reposar durante unos 60-80 minutos. Amasar de nuevo brevemente y colocar en un molde preparado. Cogí una cacerola de cerámica aquí y la forré con papel pergamino. Corta la parte superior del pan y déjalo reposar durante otros 30 minutos.

Precalienta el horno a 200 grados. Pongo un cuenco de agua fría en el horno en el fondo.

Hornee el pan a 170-180 grados durante aproximadamente 1 hora. Revisa el pan con la prueba de golpe y si suena vacío, dale la vuelta y déjalo enfriar por completo.

Nota: el sabor a remolacha desaparece por completo.

PAN RUSO - YOGUR DE VAINILLA - TARTA

eso

Porciones: 1

INGREDIENTES

- 300g   Galleta (pan Ruso)
- 150 gr Manteca, suave
- 500 g   Yogurvainilla)
- 400 ml crema
- 150 ml Leche
- 50 g de azúcar
- 1 paquete de azúcar de vainilla
- 8 hojas Gelatina, blanca

- 10 g de cacao en polvo

PREPARACIÓN

Rallar o picar finamente el pan ruso, mezclar con mantequilla blanda y amasar. Cubrir una bandeja de horno con papel vegetal, meter dentro de un aro de bizcocho de 26 cm con aceite, verter 2/3 de la mezcla, presionar y dejar reposar. Deja el resto a un lado.

Sumerge la gelatina en el agua. Batir la nata. Calentar la leche, el azúcar y el azúcar de vainilla en una cacerola. Disolver la gelatina bien exprimida, retirarla del fuego y dejar enfriar. Justo antes de cuajar, agregue el yogur de vainilla vigorosamente y agregue la crema batida.

Dividir la masa, incorporar el cacao en polvo en una parte de la crema.

Extienda la crema clara y oscura alternativamente con una cuchara en la base y alise la superficie. Espolvorear el bizcocho con las migas restantes y dejar enfriar en el frigorífico, preferiblemente durante la noche. Luego retire el aro de tarta y el papel de horno. Enfríe el pastel hasta que esté listo para comer.

MASA Y PAN KOMBUCHA

Porciones: 1

INGREDIENTES

Para la masa madre:

- 150 g de harina integral, gruesa
- 50 g de harina de centeno
- 30 g   Miel, mas liquida
- 300 ml Kombucha, más activa

Para pasta:

- 430 gr Harina de trigo blando tipo 550
- 220 ml Agua tibia

- 9 g de sal marina, sal fina o normal

PREPARACIÓN

Mezclar bien los ingredientes de la levadura madre la noche anterior, luego cubrir con un paño y dejar reposar en un lugar cálido hasta el día siguiente.

El día de hornear el pan, mezcle la masa madre de kombucha con todos los ingredientes del pan en un tazón grande. Luego cubra el bol y déjelo reposar en un lugar cálido.

Después de una hora, enrolle y doble la masa, ¡no amase! Para hacer esto, primero doble un lado por la mitad, luego doble el lado opuesto sobre la primera mitad, luego doble los otros dos lados sobre los primeros lados. Repite este proceso tres veces más, una vez cada hora.

Luego, forme una hogaza con la masa y déjela crecer durante otras 2 a 4 horas en un lugar cálido.

Precaliente el horno al máximo (240 °C, calor superior / inferior) una hora antes de cocinar. Hornea el pan por 15 minutos, luego baja el horno a 190 ° C y hornea el pan por otros 30-35 minutos, o hasta que suene hueco cuando lo golpees.

TAZA DE PAN

Porciones: 4

INGREDIENTES

- 2 tazas / n de harina de espelta, 812
- 1 taza   Harina de centeno, 1150
- 1 ½ taza / n de agua
- 1 ½ cucharadita sal
- 8 g de levadura fresca O:
- 1 cucharadita de levadura seca nivelada
- 2 cucharadas   Semillas de girasol
- 2 cucharadas   semillas de lino
- 2 cucharadas   avena
- 75 ml   agua

PREPARACIÓN

Poner la harina y la sal en un bol más grande, disolver la levadura con el agua "fría" y mezclar con la harina con una cuchara de madera hasta que no queden más bolsas de harina. Luego coloco la masa en una habitación fresca, pasillo, sótano o refrigerador durante 20 horas. Yo suelo hacerlo la noche anterior, luego también tomo 2 cucharadas de pipas de girasol, 2 cucharadas de semillas de lino y 2 cucharadas de copos de avena y vierto unos 75 ml de agua caliente por encima, pongo la tapa y después del tiempo de caminar. Agrego a la mezcla y mezclo brevemente.

Luego doblo la masa con una espátula, hago todo dos veces. Deje reposar la masa durante 30 minutos después de cada doblez.

Precalentar el horno a 260 ° C con una cacerola de hierro fundido con tapa, luego poner la masa en la cacerola y espolvorear con los granos y presionar firmemente, poner la tapa y en el horno por 35 minutos, luego bajar la tapa, subir la temperatura a 190 ° C y hornear durante otros 20 minutos.

Siempre uso tazas muy grandes con una capacidad de alrededor de 300 ml.

Puedes usar la harina a tu gusto, según tu gusto. Los granos también se pueden omitir.

ROLLOS ORIGINALES COMO DEL HORNO

Porciones: 1

INGREDIENTES

- 315 g de harina de trigo (tipo 550 o 405)
- 35 g de harina de trigo (tipo 1050)
- 15 g de malta de horno
- 10 g de sal
- 185 ml agua
- 20 g de levadura
- Posiblemente. sésamo
- Posiblemente. Amapola

PREPARACIÓN

¿Cuánto tiempo he intentado y tratado de finalmente poder hornear sándwiches frescos y reales en casa? Finalmente, encontré innumerables recetas que se ven así, pero ni siquiera sugieren una relación con un sándwich real.

Al final, dos panaderos ayudaron: uno con la receta, el otro con la malta para hornear, que es muy difícil de encontrar en las tiendas (excepto en Internet).

La receta de la masa es muy sencilla y se puede hacer muy fácilmente con la panificadora. Es mejor poner los ingredientes en la panificadora en el siguiente orden por la noche antes de acostarse (función de masa):

Primero el agua, luego la levadura (también puede ser levadura seca, no hay diferencia), luego el 550 o el 405 (nuevamente: 405 es absolutamente suficiente si no tienes un 550 a mano), luego el 1050. siguen la malta de horno y la sal.

Sin BBA, el conjunto se convierte en una masa homogénea, hasta que se separa del bol. Entonces, la masa necesita alrededor de 1 a 1 hora y media para descansar. Lo mejor es taparlo en un lugar cálido (masa de levadura).

Luego puedes poner la masa sobre una encimera sin enharinar (siempre lo hago sobre la vitrocerámica) y porciones de 80 g cada una. Ahora hay que redondear las bolas de masa y, si es necesario, triturarlas o moldearlas en pequeños rollos para que queden envueltas en "rollos Kaiser" (una buena alternativa a la prensa para sándwiches).

Sujete brevemente la masa completamente debajo del grifo y colóquela sobre papel de hornear. Ahora puedes cortarlos otros 5 mm de profundidad si quieres y espolvorearlos con semillas de sésamo o amapola.

Luego, los trozos de masa deben levantarse tapados durante otros 60 minutos. Pasado este tiempo, vaporizar el horno precalentado

(220 ° C de calor superior / inferior) enérgicamente y volver a regar los rollos directamente con el pulverizador de flores. Luego colócalos en el centro del horno y déjalos ahí por 18 minutos. Luego sácalo, déjalo enfriar en una parrilla y disfrútalo.

PAN DE PASCUA SEGÚN RECETA TRADICIONAL

Porciones: 1

INGREDIENTES

- 1 kg de harina de trigo
- 2 uds. Levadura seca
- 50 g de azúcar
- 170 g de mantequilla blanda a temperatura ambiente
- 6 huevos
- ¼ de litro   Leche, cálido
- 350 gr   Uvas Sultana, remojadas
- Remojo de agua
- 5 g de canela molida
- 1 pizca (s)   nuez moscada

- Huevos para cepillar
- Harina para encimera
- Posiblemente. Granizo de azúcar o copos de almendras

PREPARACIÓN

En un bol poner la harina, el azúcar, los huevos, la mantequilla, las pasas y las especias. Revuelva brevemente la levadura seca en la leche tibia con una cuchara, agregue la leche al resto de los ingredientes y mezcle vigorosamente con una batidora de mano (gancho para amasar) hasta que la masa salga del borde del bol.

Colocar la masa sobre una superficie de trabajo enharinada y amasar abundante y vigorosamente. Luego poner en un bol precalentado, tapar con un paño húmedo y dejar que suba en un lugar cálido hasta que haya doblado su volumen (yo suelo dejar que suba por una hora, pero incluso menos es posible).

Amasar nuevamente con fuerza, formar dos panes y colocarlos en una bandeja para hornear cada uno. Cubrir con un paño húmedo y dejar reposar media hora más.

Precalentar el horno a 175 ° C (convección). Después de leudar, untar los panes con huevo batido y cortarlos transversalmente, luego hornear. Si lo desea, puede espolvorear previamente con azúcar o copos de almendras. Hornea el pan durante 60 minutos.

También puede poner ambos panes en una bandeja, pero se abren un poco y, a menudo, "crecen" juntos en el centro. Si no le importa, puede ahorrar mucho tiempo. Por lo general, corto los ingredientes por la mitad y hago solo un pan de Pascua. Esto suele ser suficiente para una familia de cuatro.

PAN DE PADERBORN COUNTRY, VERSIÓN LIGERA DE KETEX

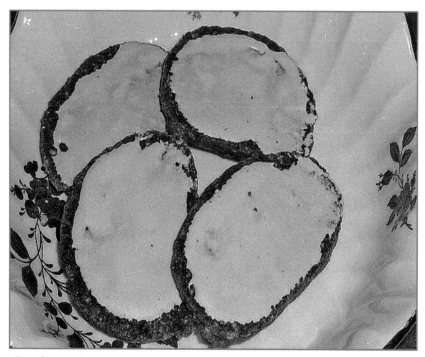

Porciones: 1

INGREDIENTES

- 150 g de harina de centeno, 1150
- 150 g de agua
- 30 g de levadura
- 135 g de harina de centeno, 1150
- 150 g de harina de trigo (integral)
- 160 g de harina de trigo, 1050
- 355 g de agua
- 12 g de sal
- 10 g de levadura, (a quien le guste)

PREPARACIÓN

Prepara una masa madre con los 3 primeros ingredientes:

150 g de harina de centeno 1150, 150 g de agua, 30 g de ASG = Anstellgut.

Mezclar todo y dejar madurar durante 16 horas a temperatura ambiente.

Retirar 30 gy devolverlos al objeto a colocar.

Mezcle todos los ingredientes y la masa madre preparada durante 7 minutos. Luego descansa 20 minutos.

Luego póngalo en un molde para pan de 1 kg y cocine.

Con levadura durante unos 60 minutos. Sin levadura aprox. 120 minutos.

Hornee por 15 minutos a 240 ° hasta obtener el dorado deseado, luego, bajando a 180 °, hornee por 45 minutos.

El pan tiene una RT de 180 y es un pan mixto 50/50.

PAN INCORRECTO

Porciones: 1

INGREDIENTES

- 160 gr manteca
- 2 huevos)
- 280 g de chocolate rallado
- 240 g de almendras molidas
- 250 g de harina
- 4 yemas de huevo
- 10 cucharadas azúcar en polvo
- Pistachos, para decorar

PREPARACIÓN

Poner la mantequilla, los huevos y el chocolate en un bol y batir hasta que esté espumoso. Luego combine las almendras y la harina en la masa alternativamente y en porciones pequeñas.

Forme un panecillo con la masa y déjela enfriar durante unos 30 minutos. Luego corta el rodillo en rodajas de aproximadamente 1 cm de ancho, colócalas en una bandeja para hornear forrada con papel de hornear y hornea a 180 ° C durante unos 10 minutos.

Mezclar las yemas de huevo con el azúcar glass, luego agregar los pistachos picados. Extienda la mezcla sobre los panes equivocados y déjela secar en el horno.

PAN NAAN

Porciones:

INGREDIENTES

- 1 cucharadita de azucar
- 20 g   Levadura fresca
- 150 ml Agua tibia
- 200 gr Harina
- 1 cucharada   Ghee
- 1 cucharadita de sal
- 50 g de mantequilla derretida
- 1 cucharadita de comino negro
- Harina para encimera
- Grasa para el tobogán

PREPARACIÓN

Pon el azúcar y la levadura en un tazón pequeño y mézclalos con el agua tibia. Deje que esta mezcla suba durante unos 10 minutos hasta que se formen burbujas.

Ponga la harina en un bol grande y haga una fuente en el centro, agregue la mantequilla clarificada y la sal y vierta la levadura. Revuelva con una cuchara de madera para formar una masa suave. Amasar la masa sobre una superficie de trabajo enharinada durante unos 6 minutos. Regrese la masa de pan al bol y tápela nuevamente por 1 hora y media.

Amasar nuevamente la masa durante 2 minutos y luego dividirla en 6-8 porciones iguales. Forma una bola con cada porción y aplástala hasta obtener una torta plana, redonda y de 1 cm de grosor, con un diámetro de unos 12 cm.

Precalienta la parrilla al máximo. Coloque los sándwiches en papel de aluminio engrasado y hornee durante 7-10 minutos cada vez, dándoles la vuelta dos veces. Unte con mantequilla y espolvoree con comino negro. Sirva caliente inmediatamente o manténgalo caliente envuelto en papel de aluminio.

PAN DE JENGIBRE CHENÄRAN

Porciones: 1

INGREDIENTES

- 300g   Alforfón, entero +
- 100 gramos   Amaranto, entero +
- 200 gr   Granos de maíz, (no palomitas de maíz) +
- 100 gramos   Arroz integral, (grano medio) +
- 2 cucharaditas   Semillas de comino, enteras +
- 2 cucharaditas   Cilantro, triturar entero
- 1 ½ cucharadita sal
- ½ cucharadita   azúcar morena
- 2 bolsas / n Levadura para hornear (levadura tártara)
- 3 cucharadas   Semillas de girasol

- 3 cucharadas   Sésamo, con cáscara
- 3 cucharadas   Semillas de lino, entero
- 40 g   Jengibre pelado
- 250 ml kéfir
- Agua mineral con gas
- Semillas de girasol, O
- sésamo
- 1 taza / n de agua

PREPARACIÓN

Muele el trigo sarraceno de cilantro juntos. Mezclar todos los ingredientes secos en +. Lleva agua mineral carbonatada + kéfir a 700 g, posiblemente más, añádelo, debe quedar como un rebozado, un poco más líquido, entonces la masa sube mejor. La cantidad de líquido necesaria depende en gran medida de la edad del grano. He notado que el maíz recién molido absorbe mucho. (Por eso no uso maíz como empanizado)

Verter en un molde rectangular de 30 cm forrado con papel de horno (también forrado en un molde). Ponga las semillas de girasol o sésamo encima de la masa, presione ligeramente. Hornea en horno frío con una taza de agua a 160 ° C durante 70 minutos. Muestra de aguja.

Cocinar por más tiempo solo endurece la corteza.

Precaliente con calor superior e inferior a aprox. 180 ° -190 ° C + hornear durante aprox. 45-60 minutos. Deje que el horno se enfríe sobre una rejilla, luego retire el papel pergamino; Si el papel de pergamino se quita temprano, la corteza generalmente será dura.

El pan se abre por la parte superior, aunque corte el pan, sin gluten no es tan fácil, porque la masa es muy líquida. Pero no importa en términos de sabor.

PATATAS DE PAN

Porciones: 1

INGREDIENTES

- 200 gr   Un pan (i) - sobras, rancias
- 125 g   Manteca con hierbas
- 75 g   manteca
- 2 cucharaditas   Mezcla de especias, (mantequilla, pan, sal, receta de la base de datos)

PREPARACIÓN

Corta el pan en rodajas finas.

Derrita la mantequilla de hierbas y la mantequilla y agregue el pan y la mantequilla salada (la receta se puede encontrar aquí: http://www.chefkoch.de/rezepte/1706241279393160/Butterbrots alz.html).

Pon las rebanadas de pan en la mantequilla y espera hasta que estén empapadas.

Extienda sobre una bandeja de horno forrada con papel de horno y hornee a 180 ° durante aprox. 12-15 minutos con aire caliente hasta que adquiera un bonito color marrón.

Déjalo enfriar y disfruta.

PAN ULM

Porciones: 1

INGREDIENTES

- 250 gr   Miel (miel sintética)
- 250 gr   margarina
- 100 gramos   Crema dulce
- 180 gr   azúcar
- 2 huevos)
- 1 cucharadita de ron
- 1 paquete   especias para pan de jengibre
- 1 cucharada colmada   cacao
- 50 gramos   Cáscara de limón
- 50 gramos   piel de naranja

- 100 gramos   Nueces, mezcladas
- 440 gramos   Harina
- 1 punto Levadura en polvo

También:

- Azúcar en polvo para el glaseado
- Agua para el glaseado

PREPARACIÓN

Batir la margarina y el azúcar hasta que quede esponjoso. Si es necesario, caliente un poco la miel artificial y luego agregue los ingredientes restantes.

Extienda la masa sobre una bandeja para hornear engrasada y hornee en un horno precalentado a 160 grados centígrados durante unos 25 minutos.

Deja que la masa se enfríe un poco y luego decórala con una guinda. Cortar en trozos de aprox. 5 x 5 cm

UNA RECETA FÁCIL Y RÁPIDA PARA BAGUETTE

eso

Porciones: 1

INGREDIENTES

- 500 g   Harina de trigo
- 2 dados levadura
- 300g   agua
- 30 g   petróleo aceituna
- 1 cucharadita de sal
- 1 pizca (s) de azúcar

PREPARACIÓN

Forma un rollo de masa sobre una superficie enharinada. Luego divídalos en 3 piezas iguales y déles forma de baguette y colóquelas en los huecos de una bandeja de baguette.

Coloque la sartén en el horno FRÍO y hornee el pan a 200 grados arriba / abajo durante unos 35 minutos. La masa se eleva en el horno.

CROISSANT - RECETA

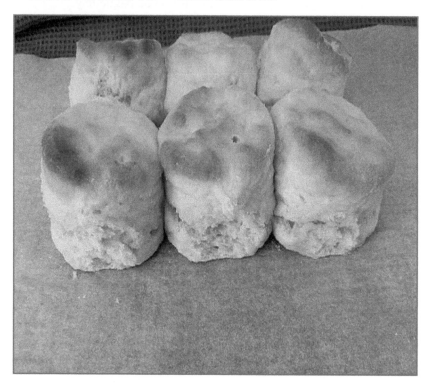

Porciones: 1

INGREDIENTES

- 250 g de mantequilla
- 50 g de azúcar
- 500 g de harina
- 1 pizca (s) de sal
- 42 g de levadura
- 2 huevos)
- 0,2 litros de leche (aprox., Según la harina)

PREPARACIÓN

La noche anterior, prepara una masa leudada con los ingredientes enumerados anteriormente: deja enfriar la leche, mezcla la levadura con un poco de azúcar y leche, déjala reposar un momento, luego agrega todos los ingredientes menos la mantequilla. Tapar y dejar reposar la masa en el frigorífico durante la noche.

Retire la masa del refrigerador y extiéndala en un cuadrado sobre una superficie de trabajo. Forme la mantequilla entre dos film transparente en la mitad del tamaño del cuadrado, luego espolvoree con harina y colóquela sobre la masa de levadura. La harina es importante porque la mantequilla no debe mezclarse con la masa, de lo contrario no se puede hacer hojaldre. ¡Así que es mejor tener un poco más que muy poca harina entre la mantequilla y la masa de levadura!

Coloque la masa encima de la mantequilla como una bolsa, de modo que un triángulo esté sobre la mantequilla en cada lado y la cubra. Esto ahora se desenrolla en un rectángulo, este rectángulo se dobla uno sobre el otro tres veces y luego se desenrolla nuevamente. Debe repetir esto 2 o 3 veces. Luego se cortan triángulos (alrededor de 12) y se les da forma de croissants por el lado ancho.

Precaliente el horno a 220-250 ° C, aquí es donde los gustos difieren: hasta 220 ° C los croissants (unos 6 por bandeja) se hornean durante unos 20 minutos, a 250 ° C durante unos 12 minutos. ¡Es un delicioso desayuno!

La receta viene de un amigo, espero que les guste.

PANETTI

Porciones: 1

INGREDIENTES

- 430 gr Harina
- 2 cucharadas   Levadura en polvo
- Sal TL
- 150 ml crema
- 150 ml Queso mascarpone
- 300 ml agua

PREPARACIÓN

Mezclar la harina con el polvo de hornear y la sal. Tamice al menos tres veces sobre una superficie de trabajo y presione una muesca en el centro. Mezclar la nata y el mascarpone y añadirlos a la harina con el agua. Mezcle todos los ingredientes con un cuchillo lo suficientemente largo para que la masa se pegue, luego trabaje con las manos sobre la superficie de trabajo enharinada. Para hacer esto, doble la masa una y otra vez, pero presiónela solo con las yemas de los dedos, no con toda la palma de la mano.

Presione la masa de unos 3,5 cm de grosor, solo con la yema de los dedos. Enharina un molde redondo o un vaso con un diámetro de unos 6 cm y recorta círculos. Coloque los círculos uno al lado del otro en una bandeja para hornear forrada con papel pergamino para que se toquen entre sí. Dobla la masa restante unas cuantas veces y corta círculos hasta que se agote.

Unte los bollos con leche y hornee en un horno precalentado sobre la rejilla central a 210 ° C durante 15 minutos. Pincha un palito en un rollo de tamaño mediano, si la masa aún se pega al sacarlo, hornea un poco más.

Coloque un paño de cocina sobre una rejilla de alambre, coloque los bollos encima y cubra con la otra mitad del paño de cocina.

Los bollos saben mejor cuando todavía están calientes y con mermelada de fresa y crema.

PAN DE CENTENO MIXTO

Porciones: 1

INGREDIENTES

- 450 gr   Harina de centeno (p. Ej. Tipo 997)
- 300g   Harina de trigo blando (p. Ej. Tipo 550 u 812)
- 23 g   Levadura natural (levadura natural de centeno integral)
- 10 g   Lecitina (lecitina pura de girasol)
- 7 ½ g   Granos de gluten de trigo (contiene ~ 0,3 g de ácido ascórbico)
- 1 paquete   Levadura seca (7 g)
- 17 g   Sal (la sal yodada es ideal)
- 1 cucharadita, nivelada   Comino en polvo, opcional

- 3 cucharadas, amontonadas   Semillas de girasol, peladas, opcional
- 540 ml Agua (10 ml más si usa pipas de girasol)

PREPARACIÓN

Mezclar todos los ingredientes excepto el agua. Agregue el agua tibia y mezcle todo durante unos 4 minutos con la batidora de mano. Deje reposar la masa durante 30 minutos, cubierta con un paño.

Cuando utilice una panificadora, introduzca la masa en el horno y programe un programa con un tiempo total de cocción de aproximadamente 2,5 horas.

Si quieres hornear en el horno, vuelve a amasar la masa brevemente y forma una o dos hogazas de pan. Dejar reposar en paz, a temperatura ambiente unos 50 minutos, a 28 ° C 35 minutos son suficientes.

Hornee en el horno a 250 ° C durante unos 10 minutos, luego termine de cocinar a 190 ° C durante otros 55 minutos.

DALKEN DELLA BOHEMA HECHO A PARTIR DE LA RECETA DE LA MADRE

Porciones: 4

INGREDIENTES

- 500 g   Harina, tipo 550
- Huevos)
- 50 gramos   manteca
- ½ cubo levadura
- 200 ml Leche, tal vez un poco más
- ½ cucharadita   sal
- Harina, para procesar

- Mantequilla derretida para cepillar

PREPARACIÓN

Disuelva la levadura en un poco de leche tibia con una pizca de azúcar. Poner la harina en un bol, hacer una fuente y añadir la levadura, espolvorear con un poco de harina y dejar reposar unos 15 minutos.

Calentar el resto de la leche, derretir la mantequilla y agregar el huevo y ½ cucharadita de sal a la harina. Amasar todo vigorosamente hasta formar una masa tersa. Deje que la masa suba durante aprox. 45 minutos.

Espolvoree sus manos con harina y forme albóndigas en forma de taza con la masa. Colóquelos en una bandeja para hornear forrada con papel pergamino, dejando mucho espacio entre ellos, ya que subirán un poco más.

Dejar reposar durante otros 20-30 minutos, untar con mantequilla derretida y hornear en un horno precalentado a 180 ° C durante unos 20 minutos.

Retirar y volver a pintar con mantequilla derretida.

Los dalkens son imprescindibles en nuestra familia con ternera con salsa de eneldo. De niños los amábamos con mantequilla y miel o mermelada.

RECETA DEL ROLLO DE PAN

Porciones: 25

INGREDIENTES

- 600 ml agua
- 1 kilogramo   Harina de trigo
- 1 cubo levadura
- 2 cucharadas   petróleo aceituna
- 2 cucharadas   sal
- 1 cucharadita de azucar

PREPARACIÓN

Desmenuza los cubos de levadura y disuélvelos en el agua tibia con el azúcar, el aceite de oliva y la sal en la jarra del aparato, si está disponible.

Agrega la harina y mezcla todo por unos buenos 10 minutos con el robot de cocina hasta formar una masa que se desprende suavemente del borde del bol, agrega agua o harina si es necesario.

Por la apariencia y el sabor se pueden agregar a los rollos de cereales (ej. Mijo, semillas de amapola azul, semillas de sésamo, semillas de calabaza, semillas de girasol, semillas de lino o pasas) (remojarlas en agua para un mejor sellado).

También puede poner queso encima o cocinar tocino y salami / jamón en cubitos o pasas, según su gusto.

Forme bolas en rollos, presione sobre la bandeja para hornear forrada con papel de hornear. Marque la superficie en diagonal con un cuchillo afilado y déjela crecer debajo de un paño durante 10-15 minutos.

Luego hornee a 200-180 ° C durante aprox. 15-20 minutos hasta que se doren.

Consejos:

Déjalo más ligero para cocinar más tarde.

Ponga el agua en una segunda bandeja para hornear (a menos que su horno pueda soportar ráfagas de vapor), esto hará que la corteza del pan esté más crujiente.

PAN DE MAÍZ

Porciones: 1

INGREDIENTES

- 375 ml agua
- 1 ½ cucharadita sal
- 1 cucharadita   azúcar
- 1 cucharada   petróleo aceituna
- 300g   Harina (tipo 405)
- 300g   Harina de maíz, fino
- 1 bolsa Levadura seca

PREPARACIÓN

Mezcle bien los dos tipos de harina, pero no la eche todavía en el recipiente. Vierta todos los ingredientes en el recipiente en el orden indicado: primero los ingredientes húmedos y luego los secos. Encima de la levadura.

Programa a seleccionar: pan blanco, nivel II (750 g), grado de dorado medio.

¡El pan es excelente con queso y también bueno con mermelada!

DELICIOSO PAN, ROLLOS, BAGUETTE

Porciones: 6

INGREDIENTES

- 50 g de harina integral de centeno tipo 1150
- 400 gr Harina integral tipo 1050
- 1 cucharadita de sal colmada
- 100 gramos   Levadura de centeno natural, receta de la base de datos.
- 260 ml agua
- 50 g Semillas o copos para decorar

PREPARACIÓN

Básicamente, esta receta funciona con todas las harinas, pero la harina de centeno siempre debe estar disponible. Todos los ingredientes deben estar a la misma temperatura (temperatura ambiente). Puedes refinarlo agregando algo a la harina: semillas, copos, cebollas, tocino o especias. La cantidad ideal de sal oscila entre 1,8 y un máximo de 2 g por 100 g de harina. Si olvida la sal, no la olvidará toda la vida.

Primero mezcle 400 g de harina del tipo deseado con 50 g de harina integral de centeno y sal. Dependiendo de la disponibilidad, también se pueden pesar diferentes harinas juntas en la cantidad deseada. (por ejemplo, 50 g de harina integral de centeno, 200 g de harina integral de espelta, 200 g

Harina integral de trigo blando) Luego siempre agrego el agua a la masa madre que se ha extraído y mezclo vigorosamente. Luego agrego el líquido resultante a la mezcla de harina.

Amasar muy bien la masa, separarla y batirla (durante unos 30 minutos). O mezclar en el robot de cocina con el gancho amasador a velocidad no demasiado alta (nivel 2 de 7 niveles) hasta que la masa haya absorbido toda la harina. Luego saca la masa del recipiente y amásala un par de veces presionándola hasta que quede plana y luego martillando las esquinas hacia el centro. Te das cuenta de que de repente se vuelve cada vez más difícil. (No voltee la masa al revés). Espolvorear un poco de harina por encima y colocar en un bol con este lado hacia abajo, cubrir con un paño de cocina y dejar reposar unas horas.

Después de aproximadamente 4 horas retire la masa, aplánela 3-4 veces y dóblela (como la última vez). Tápalo y déjalo reposar por otros 30 minutos.

Luego divida la masa en los panes deseados. Presione nuevamente las cantidades individuales de masa y enróllelas, tápelas y déjelas reposar otros 30 minutos.

A continuación, vuelva a aplanar las porciones individuales y enróllelas "transversalmente" en la última dirección y luego termine de darles la forma de baguettes, rollos, mini panes, como desee. Si lo desea, presione la parte superior brevemente en la semilla para hornear, y colóquela en la bandeja para hornear (sobre papel de hornear o similar), tápela y déjela reposar por otros 30 minutos. Aquí encontrarás que los panes se han vuelto realmente elásticos.

Mientras tanto, precalienta el horno a aprox. 220 ° C (temperatura ambiente del horno).

Cepille los panes con agua o rocíe, córtelos (baguettes a los lados) y hornee inmediatamente, parrilla media, fuego superior e inferior y hornee por 20 minutos. (También puede hacer circular el aire, pero elija una temperatura más baja. No sea exigente con el agua, los panaderos también cocinan con vapor)

Después de 15-20 minutos, cepille o rocíe los panes nuevamente con agua. Bajar la temperatura en 20 ° C y hornear por otros 10 minutos. Si "golpea" en la parte inferior, suena hueco y la corteza cruje cuando presiona y suelta.

Luego sácalo y déjalo enfriar un poco.

Un consejo para las sobras: congela todo el pan. Luego poner congelados en el horno precalentado y hornear.

PAN DE BERLÍN

Porciones: 1

INGREDIENTES

- 500 g   Harina
- 500 g   azúcar
- 250 gr   manteca
- 2 huevos)
- 2 uds.   Azúcar de vainilla
- 1 paquete de levadura en polvo
- 70 g de cacao en polvo
- 200 gr   Avellanas, picadas en trozos grandes
- 2 cucharadas   Leche
- Grasa para lata

PREPARACIÓN

Mezclar la mantequilla con el azúcar y los huevos luego agregar los demás ingredientes y mezclar todo bien. Extienda la masa en una bandeja para hornear engrasada y asegure el borde frontal del derrame con una tira doblada de papel de aluminio.

Hornee durante unos 25 minutos a 170 ° C.Cortar con cuidado el pan en trozos cuadrados (aproximadamente 1,5 x 1,5 cm) en la bandeja para hornear cuando aún esté caliente pero no más caliente.

JAMÓN COCIDO EN PAN

Porciones: 1

INGREDIENTES

- 600 gr Jamón cocido (jamón cocido de cerdo), cerdo entero o ahumado
- Para la masa de levadura:
- 250 gr Harina de centeno
- 250 gr Harina de trigo
- 1 paquete   Levadura seca
- 1 cucharada   Hojas de nabo
- 2 cucharadas petróleo aceituna
- 1 cucharadita sal
- 375 ml Agua tibia

- Posiblemente. Levadura seca natural, aproximadamente 1-2 cucharadas

También:

- semillas de comino
- 1 cucharadita de refresco (Imperial Soda)
- 50 ml   agua

PREPARACIÓN

Mezcle la harina, la levadura, las hojas de nabo, el aceite, la sal, el agua y posiblemente 1-2 cucharadas de masa madre seca con una batidora de mano con gancho para amasar en un tazón grande durante unos 5 minutos hasta que la masa se desprenda del borde.

Precaliente brevemente el horno a 50 grados y apáguelo. Deje que la masa suba en el bol cubierto con un paño húmedo y caliente con el horno apagado durante 30 minutos.

Amasar la masa con un poco de harina y presionarla hasta formar un trapo redondo. Ponga la carne en el centro y forme con la masa alrededor en una hogaza redonda. Colocar la masa de arriba a abajo en una bandeja para hornear forrada con papel pergamino o en una cazuela redonda de hierro fundido y dejar leudar en un horno tibio y sin luz durante un máximo de 45 minutos. Haga un agujero en el pan para que el vapor de agua pueda escapar durante el horneado.

Opcionalmente, mientras tanto, hervir 50ml de agua con 1 cucharadita de Kaisernatron y dejar enfriar un poco. Antes de hornear, unte el pan horneado con un poco de la solución de bicarbonato de sodio y espolvoree con semillas de comino.

Saque brevemente el pan horneado del horno y precaliente el horno a 200 grados. Coloque un recipiente poco profundo con agua caliente en el fondo del horno. Coloque el pan en la sartén y hornee durante 55-60 minutos. Si lo golpeas, el pan debe sonar hueco.

El pan se puede comer frío o caliente. Para servir, cortar el pan con la carne en rodajas o cortar un sombrero del pan, quitar la carne, cortarla en rodajas finas y verter nuevamente en el pan. Luego, todos pueden sacar las rebanadas con un tenedor y partir un trozo de pan.

PAN EN POLVO 4 CEREALES III

Porciones: 1

INGREDIENTES

- 150 gr   Avena, congelada, molida
- 150 gr   Escanda - trigo integral, molido
- 150 gr   Cebada (cebada desnudo), suelo
- 50 gramos   Amaranto, molido
- 1 pizca (s) de azúcar morena
- 1 cucharadita de sal
- 1 bolsa / n Levadura para hornear (tártaro)
- 2 cucharaditas de mezcla de especias para pan O
- Comino, cilantro, anís + hinojo entero o mixto
- 400 ml Agua mineral con gas

PREPARACIÓN

Congela la avena al menos 1 hora antes de molerla. Deje que todos los ingredientes secos se mezclen.

Agregue unos 400ml de agua mineral con gas, a bajo nivel, es suficiente, deje que se mezcle bien, 5-8 minutos, esto también crea una buena miga.

Vierta aprox. 750 ml de agua en una bandeja colectora debajo de los moldes de cocción.

Ponga la masa en una bandeja para hornear pequeña forrada con papel pergamino o forme una hogaza pequeña, corte la masa + hornee.

Como no vale la pena usar el horno para este pancito, hago tres panes a la vez. Hornee en horno frío a 160 ° C durante aprox. 60-70 minutos.

Muestra de aguja.

PAN DE MAÍZ DASH

Porciones: 1

INGREDIENTES

- 500 g   Granos de maíz (sin palomitas de maíz)
- 200 gr Garbanzos
- 1 cucharadita de mezcla de especias (pan de especias)
- 1 cucharadita de sal
- 1 pizca (s) de azúcar morena
- 1 ½ bolsa / n de levadura en polvo
- 400 gr Agua mineral con gas
- 500 ml Kéfir elaborado con leche al 1,5%

PREPARACIÓN

Muele el maíz + los garbanzos juntos. Mezclar bien todos los ingredientes secos, agregar el kéfir + agua + mezclar, debe quedar como una masa, mejor un poco más líquido, mejor leudar. Vierta la masa en la bandeja de horno forrada con papel de horno, extienda + cubra con el exceso de papel de hornear. Hornee en horno frío a 160 ° C durante 70 minutos, no se necesita nada más, solo la corteza estará dura.

Precaliente con calor superior e inferior a aprox. 190 ° C y hornear durante aprox. 45-60 minutos.

Con el aire circulando en la bandeja de goteo, que se encuentra en la parte inferior, verter aprox. 500 ml de agua, con calor superior + inferior poner una taza de agua caliente al lado de la sartén.

PAN ST, ZEZKAZGAN

Porciones: 1

INGREDIENTES

- 230 gr Masa (levadura natural)
- Para la masa: (pre-masa)
- 200 gr Maíz, molido
- 300 ml Agua mineral
- Para la masa: (masa principal)
- 100 gramos   Mijo, tierra
- 50 gramos   Amaranto, molido
- 50 gramos   Arroz integral, grano mediano, molido
- 1 cucharadita de cilantro molido +
- 1 cucharadita de semillas de comino, molidas

- 1 cucharadita de sal
- 1 pizca (s) de azúcar morena
- 125 ml Leche, aprox.

PREPARACIÓN

Incorporar los ingredientes de la pre-masa de levadura natural + mezclar, tapar con un paño húmedo + dejar reposar o dejar reposar, a temperatura ambiente. Duración de una a cuatro horas.

Mezclar la masa previa + agregar todos los ingredientes hasta el azúcar + dejar que se mezcle prestando atención a la cantidad de líquido, posiblemente más o menos, debe ser viscoso.

Verter en un molde para hornear de 24 cm forrado con papel pergamino, estirar y dejar crecer nuevamente a temperatura ambiente hasta que la masa esté bien levantada.

Unte la masa de levadura con líquido + si el horno ya está precalentado, hornee por aprox. 50-60 min a aprox. Horno de convección a 150 ° C, de lo contrario hornear en horno frío a aprox. Horno de convección a 150 ° C durante aprox. 70 min. Muestra de aguja,

Dejar en el molde aprox. 10 minutos, agarre con cuidado el papel de pergamino + colóquelo en la rejilla de alambre + desempaque + cepille con aceite o agua, enfríe + corte con un cuchillo de sierra desde abajo.

MARES - PAN

Porciones: 4

INGREDIENTES

- 1 kg de harina (harina de trigo)
- 2 puñados de azúcar
- 1 pizca (s) de sal
- 1 lata de leche condensada
- 1 cubo levadura
- agua

PREPARACIÓN

Agregue harina, azúcar y sal al tazón. Vierta la leche condensada en un recipiente graduado y llene hasta medio litro con agua tibia. Importante: el líquido nunca debe estar demasiado caliente. Mantenga sus dedos limpios, lo ideal es que no sienta el líquido en absoluto. La levadura se desmorona en este líquido (por cierto, la levadura seca también lo hace).

Mezclar y amasar la masa hasta que esté completamente lisa, suave y seca. En forma engrasada, luego déjelo reposar en el horno por una hora a 100 grados, hornee por otra hora a 200 grados. Atención, los calentadores eléctricos a veces son diferentes. Siempre pongo un trozo de papel pergamino encima para que el pan no se oscurezca demasiado.

POLVO DE PANADERÍA - PAN

Porciones: 1

INGREDIENTES

- 100 gramos   Avena, congelada, molida
- 200 gr   Escanda - trigo integral, molido
- 100 gramos   Escanda verde, molida
- 100 gramos   Centeno - grano integral, molido
- 1 pizca (s) de azúcar morena
- 1 cucharadita de sal
- 1 bolsa / n Levadura para hornear (tártaro)
- 1 cucharadita de mezcla de especias para pan O
- Comino entero o molido, cilantro, anís + semillas de hinojo

- 450 ml Agua mineral con gas

PREPARACIÓN

Congela la avena al menos 1 hora antes de molerla. Mezclar todos los ingredientes secos.

Agregue unos 450ml de agua mineral con gas, en un nivel bajo, lo suficiente, deje que se mezcle bien, 5-8 minutos, esto también crea una buena miga.

Vierta aprox. 750 ml de agua en una bandeja colectora.

Coloca la masa en una bandeja para hornear pequeña forrada con papel pergamino o dale forma de hogaza pequeña, corta la masa + hornea.

Como no vale la pena usar el horno para este pancito, hago tres panes a la vez. Después de hornear, cepille el pan con agua caliente.

Hornee en horno frío a 160 ° C durante unos 60-70 minutos. Muestra de aguja.

PAN DE BERLÍN

Porciones: 1

INGREDIENTES

- 250 g de mantequilla
- 2 cucharaditas de canela
- 1 cucharadita de clavo molido
- 300 g de nueces molidas
- 100 g de nueces enteras
- 200 g de almendras (mitad molidas + mitad enteras)
- 60 g de cacao en polvo
- 2 huevos)
- 500 g   Harina
- ½ paquete de levadura en polvo

- 1 pizca (s)   sal
- 500 g   Azúcar (azúcar morena)

PREPARACIÓN

Mezclar todo, luego dejar en el horno a 150-175 ° C arriba y abajo durante unos 35-40 minutos.

Lo mejor es cortarlo con un cuchillo eléctrico mientras aún esté caliente.

ROLLO DE LECHE

Porciones: 22

INGREDIENTES

Para la masa: (pre-masa

- 500 g   Harina de trigo blando 405
- 1 cubo   Levadura fresca
- 500 ml   Leche, 1,5%
- Para pasta:
- 500 g de harina de trigo 405
- Azúcar (150g
- 50 g de margarina o mantequilla
- 16 g de sal

- 10 g de malta de horno

Para pintar:

- Algo lechoso, 1,5%

PREPARACIÓN

¡Tomé esta receta de Baker S., el panadero "bloguero", y la convertí en una cantidad familiar regular! ¡La receta original está diseñada para 10 kg de harina y obviamente con margarina (de lo contrario, no son sándwiches de la RDA)! La malta de horno es opcional, pero para mí es simplemente parte de ella: ¡una cuestión de gustos! ¡La receta es simplemente súper deliciosa y absolutamente segura! Para mí, la receta absoluta.

Disuelva la levadura en la leche, agréguela a la harina, prepare una masa previa. Deje reposar en un lugar cálido hasta que se duplique (a menudo dice 1 hora para mí, ¡no importa!). Luego agrega el resto de los ingredientes a la masa previa y amasa con el gancho amasador del procesador de alimentos hasta que se forme una masa homogénea. Otros 30 minutos de reposo de la masa (incluso aquí me pasaba a menudo dejarla reposar más tiempo).

Trabajar la masa nuevamente sobre una superficie de trabajo ligeramente enharinada, esta vez a mano, y formar rollos (de unos 80 g cada uno). Colóquelos en una bandeja para hornear forrada con papel pergamino. Unte con leche.

Ahora precalienta el horno. Dependiendo del dispositivo entre 200-220 ° C, recuerde, a la lámpara del horno le gusta estar acostada, si es posible verifique la temperatura con un termómetro de horno, la temperatura real debe estar alrededor de 200 ° C.

Vuelva a cepillar los bollos con leche mientras se cocinan. Haga un corte justo antes de hornear y vuelva a cepillar con leche. Hornee en el horno durante unos 15 minutos, pero tenga cuidado: ¡se doran rápidamente debido a la lactosa! ¡Para observar! Durante los últimos 5 minutos del tiempo de cocción, es mejor empujar la sartén un nivel más abajo (¡con calor superior / inferior!).

COSECHA DE PATATAS SEGÚN RECETA DE LA ABUELA

Porciones: 1

INGREDIENTES

1 ½ kg Papa

1 cubo levadura

1 kilogramo   Harina

1 puñado   sal

PREPARACIÓN

Rallar las patatas, espolvorear con sal. Agrega la mitad de la harina, desmenuza sobre la levadura. Agrega la otra mitad de la harina a Ann y mezcla todo.

Deje que la masa suba en una fuente para horno (cubra con papel de cocina) durante aprox. 1,5 horas a aprox. 50 ° C. Luego llene una bandeja de horno grande (bandeja de horno) y hornee por aprox. 1,5 horas a 175 ° C (calor superior / inferior).

El resultado es un gran pan. Una vez enfriado, se corta en rodajas y se fríe en una sartén. Puede cubrir el Pickert con su elección de mantequilla, mantequilla salada, mermelada o hojas de nabo. A algunos también les gusta con salchicha de hígado.

PAN INTEGRAL CON SEMILLAS DE AMAPOLA Y CEREALES

INGREDIENTES

- 500 g   Harina de espelta integral
- 100 g de pipas de girasol
- 50 g de semillas de amapola, molidas
- 20 g de semillas de lino
- 50 g de copos de cereales (5 copos de cereales)
- 1 cucharada   sal
- 400 ml agua tibia
- 42 gr   Levadura (1 cubo)

PREPARACIÓN

Mezclar la harina de espelta con la sal, la levadura y los cereales. La cantidad de granos se puede variar según se desee, también se pueden agregar semillas de calabaza u otros granos si es necesario. Se prepara una masa tersa con agua tibia, que se deja reposar en un lugar cálido durante 30 minutos.

Luego amasa bien la masa nuevamente y luego dale forma de hogaza. Personalmente, me gusta hornearlo en un molde para pan, porque no se seca mucho durante la cocción y es más fácil de cortar después.

El pan se cuece ahora en trozos y se deja subir hasta aprox. 35 ° C durante 30 minutos en el horno. Luego hornee el pan a aprox. 200 ° C por otros 50 minutos y un pan súper delicioso está listo.

ROLLOS CON PARMESANO OREGANO

Porciones: 1

INGREDIENTES

- 250 gr Harina, 405
- 100 gramos   Harina de espelta
- 50 g de sémola
- 42 g de levadura fresca
- 2 cucharaditas sal
- 1 cucharadita de azucar
- 240 ml Agua tibia
- 2 cucharadas   Parmesano, para limpiar el polvo

- 2 cucharaditas de orégano seco para espolvorear

PREPARACIÓN

Agregue la levadura al agua tibia y disuelva. Ponga todos los ingredientes en un bol y mezcle, agregue el agua de levadura y amase bien durante 10 minutos. Deje reposar el bol durante 20 minutos en un lugar cálido, por ejemplo, en un horno ligeramente calentado.

Precalienta el horno a 180 grados.

Amasar ligeramente la masa, formar 12 rollos, colocarlos en una bandeja de horno y dejar reposar otros 10 minutos.

Rallar el parmesano y mezclar con el orégano. Cepille los panecillos con agua y córtelos, luego espolvoree con la mezcla de parmesano y orégano y hornee por unos 25 minutos.

PAN CON DELETE (RECETA TM)

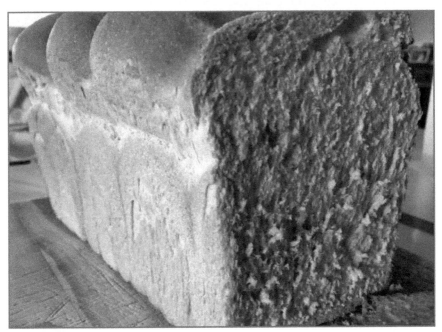

PORCIONES: 1

INGREDIENTES

- 600 gr Harina de espelta integral
- 500 ml Agua tibia
- 250 gr Cuarc
- 50 g de avena
- 1 cucharadita de azucar
- 2 cucharaditas sal
- ½ cubo levadura

PREPARACIÓN

La receta es para TM, la hice con Krups Prep & Cook. Pero también debería funcionar con otras máquinas o manualmente.

Precalienta el horno a 200 ° C superior e inferior. Pon una taza de agua en el horno.

Insertar los cuchillos para amasar y enharinar, rellenar todos los ingredientes en la sartén e iniciar el programa de amasado P2

Engrase un molde para pan y vierta la masa en él. Espolvorea con semillas de calabaza o algo similar.

Después de unos 10 minutos de cocción, corte la parte superior del pan. Hornee por otros 50 minutos. El pan está listo cuando suene vacío.

El pan tiene una corteza agradable y se mantiene jugoso y fresco durante mucho tiempo. Diviértete intentando

CONCLUSIÓN

La dieta del pan generalmente se considera adecuada para el uso diario. Porque no hay cambios importantes que hacer. Sin embargo, debes ceñirte a 5 comidas al día para que puedas comenzar a quemar grasa. Por lo tanto, el pronóstico de resistencia también es bastante bueno. La dieta del pan se puede hacer durante varias semanas sin dudarlo. La necesidad de contar calorías requiere una planificación cuidadosa de las comidas. Sin embargo, la dieta del pan no es unilateral, aunque solo sea por el hecho de que el almuerzo se come normalmente. La dieta del pan es solo para usuarios que pueden tomarse su tiempo para el desayuno y otras comidas. Porque la comida debe masticarse bien.

Que esta permitido, que esta prohibido

No está permitido untar mantequilla espesa sobre el pan durante la dieta del pan. Pero es mejor prescindir de la mantequilla o la margarina. La cubierta tampoco debe ser demasiado gruesa. Una

rebanada de salchicha o pan de queso debería ser suficiente.

Debe beber de 2 a 3 litros durante la dieta del pan, es decir, agua,

té o jugos de frutas sin azúcar.

DEPORTE - ¿NECESARIO?

El ejercicio o el deporte regular no son el foco de una dieta de

pan. Pero no es tan dañino hacer deporte como antes

Dietas similares

Al igual que en la dieta de la col, la col o la dieta basada en

diferentes zumos de frutas, la dieta del pan se centra en la

comida pan.

COSTE DE LA DIETA

Con la dieta del pan no es necesario prever costos adicionales en

comparación con los que se gastan en compras normales. El pan

integral cuesta un poco más que el pan de harina blanca. Pero las

diferencias no son tan grandes. Además, no es necesario comprar

productos orgánicos por separado. Como ocurre con otras

compras, solo hay que prestar atención a la frescura de la mercancía.

LO QUE ESTÁ PERMITIDO, LO QUE ESTÁ PROHIBIDO

No está permitido untar mantequilla espesa sobre el pan durante la dieta del pan. Pero es mejor prescindir de la mantequilla o la margarina. La cubierta tampoco debe ser demasiado gruesa. Una rebanada de salchicha o pan de queso debería ser suficiente. Debe beber de 2 a 3 litros durante la dieta del pan, es decir, agua, té o jugos de frutas sin azúcar.

La duración recomendada de la dieta del pan es de cuatro semanas. Pero también es posible ampliarlo. Debería perder alrededor de dos libras por semana.

Las raciones diarias constan de cinco comidas. Estos también deben respetarse para evitar la sensación de hambre.

Además, el organismo puede utilizar los valiosos nutrientes de manera óptima de esta manera. También es importante beber mucho.

A través de la dieta equilibrada, la dieta del pan puede, con un

aporte calórico adecuado, llevarse a cabo también para toda la

familia. Al mismo tiempo, también tiene la ventaja de que los

trabajadores también pueden usarlo fácilmente; la mayoría de las

comidas se pueden preparar y luego llevar.

Si se hace de manera constante, es posible lograr una pérdida de

peso de 2 a 3 libras por semana. En última instancia, la dieta del

pan tiene como objetivo un cambio en la dieta hacia frutas y

verduras y carbohidratos saludables y lejos de la carne y la grasa.

La gran cantidad de fibra conduce a una sensación de saciedad

duradera.

Lightning Source UK Ltd.
Milton Keynes UK
UKHW020744030621
384855UK00001B/209